Het Gynnes Tad-cu

MALACHY DOYLE

ADDASIAD SIÂN LEWIS

Lluniau gan Dorry Spikes

Gomer

i Daniel

J. R
EDWARDS
Ffynnon-Deg
Disgwylfa
Bwlch
Twmpath
Foel Goch
Gors Frân
Pantglas
Llanirfan
SIOC

Anghofia i byth y diwrnod y dringais i
a Tad-cu Wil i ben Foel Goch.
Lan â ni, law yn llaw, a phan gyrhaeddon
ni ben y mynydd –

Waw!

A phan ddechreuodd fwrw eira –

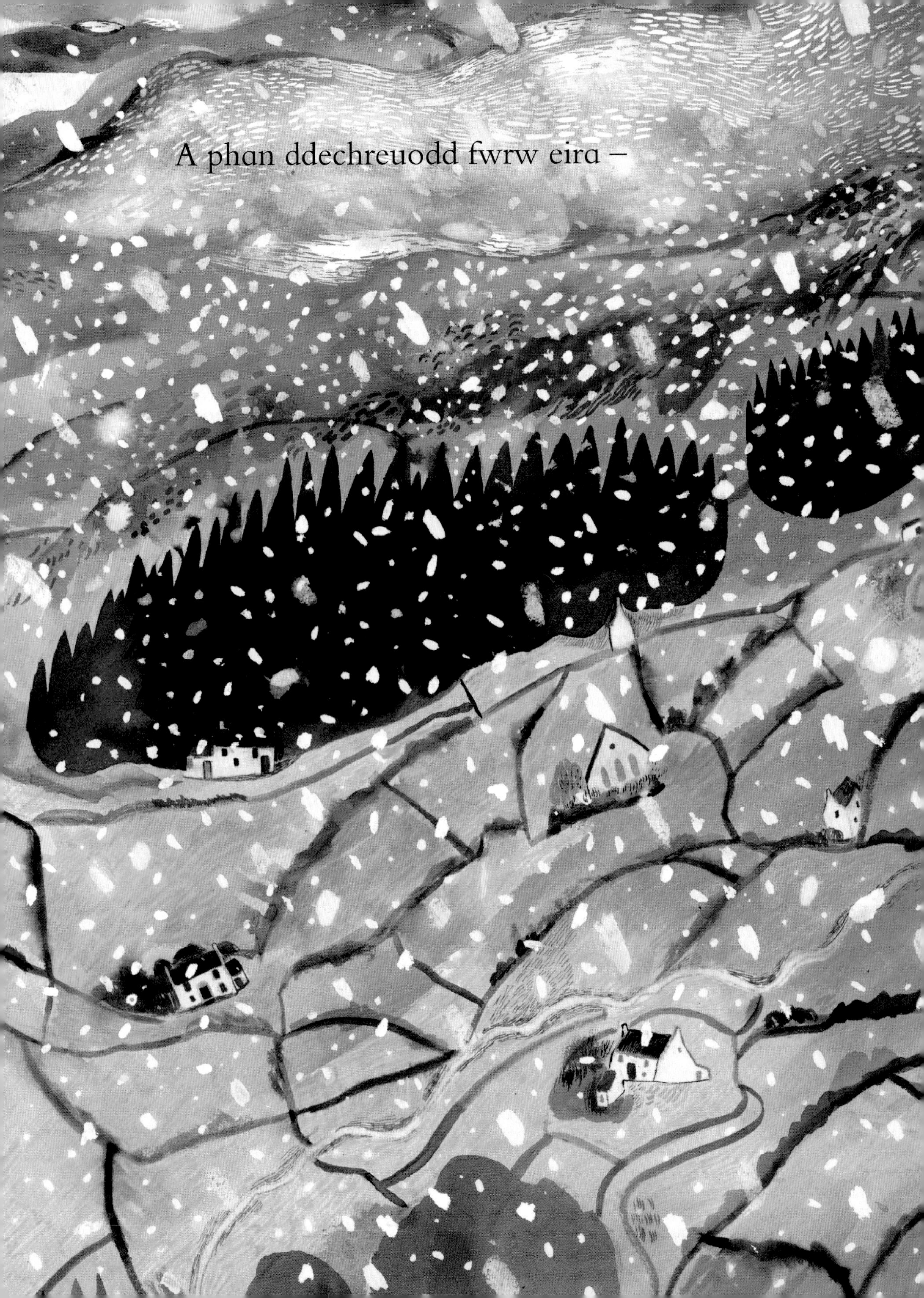

Waw-i!

Dyna pryd y dwedodd Tad-cu,
'Lawr â ni ar ras.'

Dechreuais grynu, ac estynnodd Tad-cu ei het gynnes i fi (*ei het wlân â'r gair CYMRU arni*).

Ond roedd Tad-cu'n oer hefyd, dwi'n meddwl.
Cododd ei hwdi, a phesychu a phesychu,
yn fwy nag arfer hyd yn oed.

Ar y ffordd i lawr daeth yr haul i'r golwg.
Tynnais i het Tad-cu a'i gwthio i 'mhoced.

Ond erbyn cyrraedd y gwaelod,
doedd dim sôn amdani.
'Mae'n ddrwg iawn gen i, Tad-cu. Dwi wedi
colli dy het wlân di.'
'Dim ots, bach,' atebodd. 'Fe gei di afael arni
rywbryd eto. Mae digon o amser.'

Pan gyrhaeddon ni adre, aeth Tad-cu i orwedd am sbel fach. Twymodd Mam gawl i 'nghynesu.

Dwedodd wrtha i fod Tad-cu wedi cael yr het
pan oedd e'n fachgen bach.
Ei Nain oedd wedi'i gwau iddo.

Felly Mam ddaeth yn ôl gyda fi i'r mynydd
y diwrnod wedyn i chwilio am het wlân Tad-cu.

Ond roedd rhagor o eira wedi disgyn –
trwch mawr o eira – a doedd
dim sôn am yr het
yn unman.

Fe fwrodd lawer iawn o eira y gaeaf hwnnw.
Pesychodd a phesychodd Tad-cu Wil
yn ei stafell wely drws nesa i f'un i.

Erbyn i'r eira doddi o'r diwedd,
roedd y peswch wedi peidio,
a'r tŷ'n dawel.

Es i a Mam yn ôl i Foel Goch.
Roedd hi'n bwysig dod o hyd i'r het, ti'n gweld.

‘Well i ni fynd adre, cariad,’ meddai Mam.
‘Bydd hi’n dywyll cyn bo hir.’
Ond allwn i ddim.
Allwn i ddim mynd heb yr het.

Ac yna fe welais i hi!
Roedd hi'n cuddio dan graig!
'Edrych, Mam! 'Co hi! Het wlân Tad-cu Wil!'

Roedd hi'n dal braidd yn wlyb,
ond fe dynnais hi dros fy nghlustiau ta beth.
Achos dwi'n **caru**'r het wlân!
Mam i fam tad Mam weodd yr het!

Waw-i!

Ie, hon yw het wlân gynnes fy nhad-cu annwyl i.
Mae'n fy helpu i gofio amdano,
ac i gofio'r holl amser gwych gawson ni gyda'n gilydd.

CYMRU

Dyna pam dwi'n ei gwisgo drwy'r amser!
A fydda i byth yn ei cholli hi eto,
wir i ti.

01/15

Cyhoeddwyd gyntaf yn 2014 gan Wasg Gomer, Llandysul, Ceredigion, SA44 4JL
www.gomer.co.uk

ISBN 978 1 84851 880 3

Dymuna'r cyhoeddwyr gydnabod cymorth Cyngor Llyfrau Cymru.

Argraffwyd a rhwymwyd yng Nghymru gan Wasg Gomer, Llandysul, Ceredigion SA44 4JL